BOULE DE RÊVE

BOULE DE RÊVE

Texte de Lise Thouin

Illustrations de Jean-Luc Bozzoli

FONDATION
BOULE DE RÊVE

Du même auteur :
De l'autre côté des choses, Libre Expression, 1996.
Presses de la Renaissance, 1997. Pocket, 1999.
Toucher au soleil, Libre Expression, 2000. Presses de la Renaissance, 2000.

Ce projet a bénéficié de l'apport de :

Pour le livre :

Conception graphique et infographie : France Lafond
Impression et reliure : Imprimeries Transcontinental
Conseiller à l'édition : Éditions Le Perséa

Pour le disque : RSB
Texte : Lise Thouin
Narration et interprétation de la Chanson Magique : Lise Thouin

Musique, composition et arrangements : Marie Bernard et Normand Corbeil
Voix de Boule de Rêve : Fanny Lauzier
Conception sonore : Normand Corbeil
Claviers et synthétiseurs : Normand Corbeil, Marc Gillet, Marie Bernard
Prise de son : Martin Lizée
Mixage : Paul Pagé assisté de Martin Lizée

Conception graphique du CD : Jean-Sébastien Lord
Réalisation : Lise Thouin

La *Chanson Magique* a été enregistrée avec l'aimable participation
des chœurs des Petits Chanteurs du Mont-Royal
sous la direction de Gilbert Patenaude.

Boule de Rêve a été enregistré au Studio de François Dompierre à St-Bruno
et mixé au Studio Saint-Charles à Longueuil.

Dépôt légal : 3e trimestre 2002.

Site Internet : www.lisethouin.alchymed.com

Pour le Québec : ISBN 2-9807629-0-3
Pour les autres pays de langue française : ISBN 2-922397-08-4

Tel que promis, je dédie ce conte à Geneviève, qui avait les yeux «comme une rivière qui coule ou des étoiles qui brillent», et à toutes les petites Geneviève du monde, qu'elles s'appellent Audrey, Martin, Stéphanie, Dominique, Pierre-Luc, Sébastien, Sophie, Cherlie, Yassine, Nathalie, Philippe, Fernando, Gabrielle, Floyd, Johanne, Kitty, Guillaume, Marie-Josée, Amélie, Kévi, Chanelle ou Charles, et à tous les autres, tous les autres que j'ai tellement aimés…

Geneviève a rejoint sa Planète de Cristal un 8 octobre. C'était un matin… en plein soleil.

Les histoires magiques existent.

Elles flottent comme des rubans autour de la planète.

Un jour, sans même le faire exprès, j'ai tiré sur un des rubans et l'histoire de Boule de Rêve est venue. J'ai su tout de suite que cette histoire était magique parce que, sans la connaître, j'ai eu l'impression de la savoir depuis toujours...

Boule de Rêve était un dauphin magnifique. Il habitait avec sa mère et toute sa famille dans une grande mer du Sud.

Son corps absolument lisse et brillant glissait dans les profondeurs de l'eau à des vitesses remarquables. Il était curieux, il nageait pendant des heures sans se fatiguer, il chevauchait des vagues énormes qui le transportaient toujours plus loin à la découverte de l'océan. Il aimait rire et s'amuser avec ses amis le poisson-volant bleu, le poisson-chat jaune et le petit poisson rouge.

Parfois il bondissait hors de l'eau, très haut, faisait la roue puis retombait tout près d'eux en les éclaboussant de milliards de gouttelettes dorées. Que c'était drôle! Toute la surface de l'eau était transformée en un grand nuage d'écume!

BLEU, JAUNE, ROUGE, AMIS ET HEUREUX

8

Mais ce que Boule de rêve aimait par-dessus tout, c'était de plonger dans le rayon rose du soleil qui se lève. Il disait qu'il y entendait de la musique.

«Venez écouter, je n'ai jamais rien entendu de pareil! Ça vient sûrement de très loin. Peut-être des étoiles! Ah! si je pouvais voler, ajoutait-il, j'irais là-bas d'où vient la musique!»

Mais personne ne prenait le temps de s'arrêter et d'écouter vraiment, et, comme il était encore très jeune, on ne le prenait pas très au sérieux. Même ses amis se moquaient gentiment de lui.

«Boule de Rêve, tu portes bien ton nom, t'es un grand rêveur!», disait le poisson bleu.

«Ça ne se peut pas, de la musique cachée dans un rayon rose!», ajoutait le poisson-chat.

«Et puis tu n'es pas un oiseau, tu ne pourras jamais voler, tu es bien trop lourd… Les dauphins, ça ne vole pas!» concluait le poisson rouge avec sa petite voix pointue.

Boule de Rêve ne répondait pas. Il regardait le ciel avec un étrange sourire…

Un matin, au lever du soleil, Boule de Rêve découvrit sur son dos deux petits cercles bleu sombre. On aurait dit deux petites fleurs en boutons. Oh! ça n'était pas douloureux, ça faisait juste chatouiller et piquer un petit peu.

«Qu'est-ce que ça peut bien être, se dit Boule de Rêve. Je n'ai jamais entendu parler d'une chose pareille! C'est sûrement à cause du rayon rose. Je m'en doutais, il est magique!»

Chaque jour, les petites fleurs devenaient plus grosses; elles s'épanouissaient lentement en mille nuances bleutées sur son dos. Il se passait quelque chose de très spécial. Boule de Rêve le sentait bien à l'intérieur de lui, et, certaines nuits, ça lui faisait même un peu peur.

C'est sa mère qui, la première, remarqua les étranges transformations de son dos. Très inquiète, elle demanda à Boule de Rêve de se tenir un peu tranquille pour qu'elle puisse l'examiner.

«Mais... qu'est-ce qui t'arrive, Boule de Rêve? On dirait qu'il te pousse... DES AILES!!!! Comment est-ce possible?»

Deux petites douceurs de plume

Alors, Boule de Rêve comprit enfin ce qui se passait. Lui qui avait tant espéré voler, voilà que son rêve se réalisait! Il se mit à chanter comme seuls les dauphins savent le faire et sa chanson parlait d'un autre univers.

Tous les jours, Boule de Rêve plongeait et replongeait dans le rayon rose du soleil levant pour mieux écouter la musique. Les semaines et les mois passèrent. Ses ailes poussaient, magnifiques, toutes repliées sur son dos, l'entourant de turquoise, de mauve, de bleu-gris, de violacé et de bleu ciel. Mais parfois les ailes pesaient bien lourd sur le dos de Boule de Rêve, il n'arrivait plus à nager vite comme avant.

Il avait de plus en plus souvent envie d'être seul. Oh! il souriait toujours, bien sûr, mais il y avait au milieu de son cœur comme un gros chagrin: Boule de Rêve s'ennuyait! Il s'ennuyait de la musique du rayon rose, une musique tellement belle, tellement douce que ça le faisait pleurer. Il rêvait de devenir cette musique. Il ne parlait plus beaucoup, comme si toutes les paroles avaient été dites, et il y avait maintenant une douceur infinie tout au fond de ses yeux.

Seul, la nuit

Un jour, Boule de Rêve sentit que le temps était venu, qu'il était prêt! Il se leva tout de suite, c'était encore la nuit. Il nagea longtemps sur le dos en fixant les étoiles. Il pensait: «Aujourd'hui, je retourne chez moi.»

Oh! il n'était pas triste... pas vraiment triste. Seulement, il se sentait un peu petit pour entreprendre tout seul un si long voyage.

Le ciel pâlit et les étoiles, une à une, s'éteignirent. Il y eut un moment de silence entre la nuit et le jour, un moment de vide suspendu, comme au spectacle avant que le rideau se lève. Boule de Rêve ferma les yeux et il sentit tout à coup à l'intérieur de lui une force brillante et magique qui se réveillait. Il se mit à rire. C'était merveilleux! Toute sa peur avait disparu.

«Quel beau voyage je vais faire aujourd'hui! Lève-toi, Soleil, espèce de paresseux, lève-toi! J'ai hâte de partir moi!»

Alors, le soleil se leva doucement, laissant sur la mer un rayon rose si large et si brillant que des formations d'oiseaux intrigués passèrent et repassèrent plusieurs fois au-dessus.

Tous les amis de Boule de Rêve étaient là: le poisson-volant bleu, le poisson-chat jaune et le petit poisson rouge.

Ils ne disaient rien, ils nageaient en rond, ils avaient un peu envie de pleurer.

Alors, Boule de Rêve les fit rire en faisant des pirouettes comiques dans l'eau rose du soleil. Puis il s'approcha de sa maman et posa sa tête dans son cou. Sa mère le caressa longtemps de sa longue nageoire si douce.

Petite
chanson

Donne-moi juste un baiser doux
Maman
Juste une petite caresse
Douce douce douce
Juste un baiser doux
Maman
Avant de m'en aller
Avant de m'en aller

«Tu peux partir maintenant si tu veux, Boule de Rêve. Plus tard, je te promets, je viendrai te rejoindre.»

Elle lui donna un grand coup de queue d'encouragement. Boule de Rêve bondit très haut et plongea dans la mer. Il descendit, descendit vers le fond, plus profond qu'il n'était jamais allé, dans un endroit où personne jamais n'avait pénétré avant lui. Il faisait très noir à cette profondeur, comme la plus noire des nuits sans étoiles. Mais Boule de Rêve n'avait pas peur. Quand il atteignit enfin le fond de la mer, il se donna une formidable poussée avec sa queue vers le haut.

16

La chute vers l'abîme

L'envolée brillante

En poussant un long cri de joie, il remonta de plus en plus vite vers la surface. Il surgit de l'eau rose comme un bouchon de champagne. Ses immenses ailes bleues enfin se déplièrent et se gonflèrent de vent comme les voiles d'un bateau.

Il s'arracha de l'atmosphère terrestre et décolla comme une fusée.

Bientôt, il ne fut plus qu'un tout petit point bleu dans le ciel. Il filait à une vitesse telle qu'il rejoignit le Soleil en quelques secondes. Il le salua du coin de l'oeil et continua sa route. Il croisa les planètes, les lunes et les milliards d'étoiles de la galaxie.

Il volait de plus en plus vite. Il était si léger, si heureux. Ses grandes ailes bleues étaient puissantes, magnifiques, et, quand il s'échappa par le trou noir de notre galaxie, il sut qu'il avait glissé vers là-bas, de l'autre côté des choses.

19

ELDORADÔME

Il se mit à danser comme un grand papillon bleu. À chaque coup d'aile, il réveillait des milliards d'étoiles qui s'allumaient dans la nuit. Bientôt, tout le ciel fut lumineux. On aurait dit de la neige brillant sous le soleil. Boule de Rêve se laissa flotter, comblé. C'était si facile et si doux d'être là, juste à être heureux.

La Cité de Corail

La Planète de Cristal

Des pastilles de toutes les couleurs l'encerclèrent bientôt et l'emmenèrent à la Planète de Cristal. C'était une planète bien étrange. Boule de Rêve en croyait à peine ses yeux. Elle était... transparente!

Il voyait battre à l'intérieur du cristal une intense lueur rose, comme un coeur de géant, et ça éclairait toute la nuit. Le coeur de Boule de Rêve se mit à battre, exactement au même rythme.

«Voilà, enfin je suis chez moi!», se dit-il.

Des fontaines énormes se mirent à jaillir de partout en même temps. Mais ce n'était pas de l'eau qui s'élevait dans le ciel mais de la musique! Boule de Rêve était très étonné. Mais oui! il la reconnaissait, cette musique! C'était... la musique du rayon rose!

25

L'ÎLE AUX PARFUMS

LE THÉÂTRE AQUATIQUE

Enfin, il l'entendait pour vrai! Il était «inondé» de musique! C'était tellement beau! Des larmes roses brillèrent dans ses yeux. Alors, il se mit à chanter avec la musique, à chanter comme seuls les dauphins savent le faire. Une chanson magnifique, *sa* chanson. Il lui sembla alors que des milliers de voix s'étaient jointes à la sienne : des milliers de nouveaux amis chantant la même chanson mais pourtant de mille façons différentes, avec mille nuances nouvelles. Et c'était encore plus merveilleux que tout ce qu'il avait pu imaginer.

Il m'arrive de plus en plus souvent de penser à Boule de Rêve et à la Planète de Cristal.

Je suis sûre qu'un jour je l'entendrai, moi aussi, la chanson magique. On m'a dit qu'elle se promène en écho, de galaxie en galaxie et qu'un jour elle arriverait jusqu'à nous. Alors, j'ouvre grands mes oreilles et mon coeur et je les tourne vers le ciel comme une antenne géante. Et... j'écoute...

Quand la chanson magique touchera enfin la Terre, tout le chagrin du monde disparaîtra, emporté par un immense rayon rose très brillant, et paraît-il que ce jour-là, toutes les fleurs du monde s'ouvriront, en même temps.

Renaissance

La Chanson magique

Douce douce
La lumière dorée
Ivre d'amour
Coule coule
Rubans d'éternité
Cristal de rose
Cristal de rose
Rubans d'éternité

J'entends la musique
Au milieu du silence
Ce sont des étoiles qui chantent
Ce sont des étoiles qui chantent

Sans une éclaboussure
Je plonge dans le soleil levant
Je touche au ciel et j'ai mille ans
Je renais à chaque seconde
Dans le premier matin du monde
Et comme au ralenti...
Je risque la lumière
Comme on risque sa vie
Comme on risque sa vie

J'entends la musique
Au milieu du silence
Ce sont des étoiles qui chantent
Ce sont des étoiles qui chantent

Il me pousse des ailes
Je vais pouvoir aller plus loin
Derrière la dernière colline
Parfois je bascule ébloui
Dans ce désir qui s'agrandit
Parce que je veux voler plus haut
Je risque d'être un oiseau
Comme on risque sa vie
Comme on risque sa vie

J'entends la musique
Au milieu du silence
Ce sont des étoiles qui chantent
Ce sont des étoiles qui chantent

Je suis tout l'univers
Je relie l'étoile et la mer
Comme un grand miroir à l'envers
J'entends jaillir des symphonies
Des chants d'amour des galaxies
J'entrouvre la porte magique
Je risque la musique
Comme on risque sa vie
Comme on risque sa vie

J'entends la musique
Au milieu du silence
Ce sont des étoiles qui chantent
Ce sont des étoiles qui chantent

L'ARBRE ÉTERNEL

32

BOULE DE RÊVE,
une histoire magique

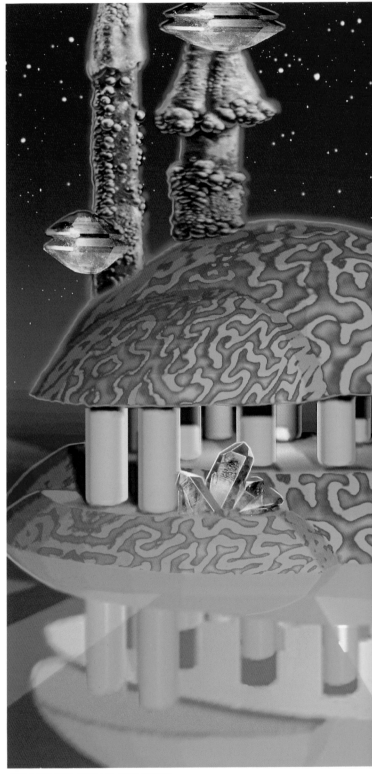

AU PAYS DU CORAIL QUI PENSE

«Repose-toi un peu! Va te promener... Je vais rester avec elle... Ne t'inquiète pas.»

La porte du 5122 s'est refermée et je suis restée seule avec Audrey, à qui on ne donnait plus que quelques semaines à vivre. Dans la demi-pénombre de la chambre d'hôpital peuplée de poupées, de toutous et de jouets désormais inutiles, je regardais le petit visage trop blanc d'Audrey, où se lisait depuis déjà quelque temps une terreur indéfinissable : entre le sifflement du ballon d'oxygène et le halètement de la pompe à morphine, s'était installée, aussi sournoise et ravageuse que la leucémie, la peur de la mort.

Mais Audrey ne parlait pas de cette mort qu'elle sentait venir. Elle se taisait... pour ne pas inquiéter sa mère. Et sa mère fatiguée, seule et impuissante devant cette perte si vaste et définitive, se taisait elle aussi...

Nier la mort, ne pas en parler rendait entre elles toute conversation un peu ambiguë. Audrey tendait l'oreille, inquiète, aux moindres chuchotements qui auraient pu la renseigner. Tout cela était tellement triste, de cette tristesse qui vient quand les choses essentielles n'ont pas été dites. Et il restait si peu de temps. Mais comment parler de la mort sans risquer que tout bascule dans l'horreur, sans risquer de perdre le dernier espoir fou qui survit même quand tout semble perdu? Comment dire à une enfant de sept ans que le moment est peut-être venu de partir et qu'il n'y a rien d'effrayant à ce voyage?

Parce que ce voyage, moi, j'en connaissais le chemin, je l'avais déjà fait... Il y a dix-sept ans, un 24 juillet, à 23 h 30, terrassée par un virus foudroyant, j'avais basculé «de l'autre côté des choses», j'avais pénétré dans cette obscurité magnifique, dans cette lumière-amour qui illumine et transforme quelquefois les mourants au moment du départ. Mais il n'est pas facile de faire comprendre cette chose incroyable, infiniment subtile et frissonnante, et encore moins d'expliquer cette parenté et cette intimité qui m'unissent chaque fois à ces enfants à l'âme affolée qui se préparent à partir.

Je me suis assise à côté du lit d'Audrey et j'ai pris sa main. C'est à ce moment-là que l'histoire est venue... Elle a coulé à travers moi, profitant d'une bouffée de tendresse qui m'a chavirée et du moment de silence qui a suivi: «Il était une fois un dauphin qui s'appelait Boule de Rêve...» Quand l'histoire fut terminée, Audrey souriait, rayonnante, rassurée... enfin! Au retour de sa mère, elle dormait paisiblement. À voix basse, je lui ai raconté à elle aussi l'histoire de Boule de Rêve. À travers ses larmes, j'ai senti à quel point elle était soulagée d'avoir enfin trouvé des mots nouveaux avec lesquels communiquer avec Audrey, des images claires et vivantes qui n'avaient rien d'horrible ni de menaçant. Elle réalisait qu'il était possible de l'accompagner dans ce passage vers l'autre dimension de l'existence et que cela pouvait être fait avec douceur et sérénité.

Cette histoire que je n'avais ni prévue ni planifiée, je l'ai racontée par la suite, quand le besoin s'en faisait sentir, à d'autres enfants malades ou bien portants, à des adolescents, à des adultes. J'ai ajouté des nuances, des couleurs, j'ai fignolé un peu, mais l'histoire est restée telle que je l'avais racontée à Audrey dans sa chambre cet après-midi-là.

À la suite d'une promesse sacrée faite un jour à une autre enfant, Geneviève, à qui je l'ai dédié, j'ai écrit ce conte afin qu'il puisse être publié et servir à d'autres.

Voilà maintenant plus de quinze ans que la vie me met directement en contact avec des enfants – parfois des adolescents ou même des adultes – atteints de leucémie, de cancer ou d'autres maladies très graves. Je ne les accompagne pas d'une façon formelle ni systématique, mais avec passion. C'est comme si, chaque fois, je tombais en amour. Avec le même enthousiasme, avec la même vulnérabilité aussi. Ensemble, alors, nous inventons, nous créons des moments uniques, puisque que, pour eux, le temps est fragile et dès lors… tout-puissant.

Et puis, j'apprends. J'apprends à respecter qu'un enfant parte, comme je respecte aussi sa décision de rester. « Femme-passeur », j'ai quelquefois le privilège d'être là et de pouvoir l'aider à atteindre en douceur l'autre rive.

Boule de Rêve, lui, est entré dans l'âge des deux chiffres comme disent parfois les tout-petits. Il a dépassé ses dix ans et, de part et d'autre de l'Atlantique, on ne compte plus les portes qu'il a ouvertes. On m'a dit qu'il a su calmer des milliers de départs, mais il a aussi préparé des arrivées en ce monde. Oui, en naissant, nous quittons douloureusement notre état de petit être aquatique baignant dans sa mer amniotique pour devenir un mammifère qui respire…

Le beau voyage de Boule de Rêve, c'est donc celui qui nous aide à vaincre les peurs, à affronter l'inconnu et à risquer les métamorphoses. Y a-t-il une aventure plus magique que celle qui nous emmène à la découverte du rayonnement de l'éternité ?

FLEURS DE MER

Remerciements

Je tiens à remercier Marie Bernard, Normand Corbeil et Jean-Luc Bozzoli, mes complices créateurs de musique et d'images. Avec une grande ouverture de cœur et un talent extraordinaire, ils ont su capter cette vision fugitive venue d'ailleurs. Ils ont exprimé l'Inexprimable et ils l'ont, en plus, entrecroisé d'espérance. Merci d'avoir accepté de partager mon rêve et de l'avoir amené au-delà des mots.

Je suis reconnaissante également à tous ces gens qui m'ont aidée et soutenue à leur façon, à différents moments de cette belle aventure. Je ne peux les nommer tous ici, tant ils sont nombreux !

Un grand merci aux enfants de l'hôpital Sainte-Justine de Montréal, ceux qui restent et ceux qui ont dû partir. Merci à leurs parents qui m'ont permis de partager avec eux ces moments d'amour privilégiés. Un merci spécial à Monique Decelles et Jean-Marie Saint-Pierre, les parents de Geneviève, ainsi qu'aux membres du personnel soignant et, tout particulièrement, à Marjolaine Dion.

Toute ma tendresse et ma reconnaissance aussi à Alaïdha. C'est grâce à sa générosité que Boule de Rêve peut prendre aujourd'hui un nouvel envol…